*Manifeste lucide pour la fin de
l'hégémonie fédéraliste sur l'information*
est le sixième ouvrage publié aux Éditions du Québécois et le
troisième dans la collection « Essais pour un Québec libre »
dirigée par Pierre-Luc Bégin.

D0800052

COLLECTION « ESSAIS POUR UN QUÉBEC LIBRE »

La collection d'essais des Éditions du Québécois vise à donner aux intellectuels d'ici l'occasion de participer aux débats liés à la question nationale du Québec. La publication de tels ouvrages se veut une tentative d'alimenter la réflexion sur la nécessité de l'indépendance du Québec tout en posant un regard critique sur le chemin parcouru, à parcourir et sur notre situation nationale. Il s'agit de favoriser le débat d'idées dans le long combat que mène le peuple québécois pour son indépendance et d'en favoriser l'issue victorieuse.

Les Éditions du Québécois bénéficient pour leurs activités du seul soutien des militantes et militants indépendantistes qui supportent cette œuvre. Qu'ils soient ici remerciés. À ce sujet, remerciements particuliers au journal *Le Québécois*, partenaire privilégié des Éditions du Québécois.

MANIFESTE LUCIDE
pour la fin de l'hégémonie fédéraliste
SUR L'INFORMATION

Éditions du Québécois

Éditions du Québécois
2572, rue Desandrouins
Québec, Québec
G1V 1B3
Tél. : (418) 661-0305

www.lequebecois.org

Conception et
réalisation de la couverture: Cocorico Communication.

Aide à la correction: Cynthia Quirion

Textes rassemblés sous la direction de:
Bégin, Pierre-Luc (1979 -) et Bourgeois, Patrick (1974 -).

Suggestions de classement:

Autonomie et mouvements indépendantistes, Médias, Mouvement
indépendantiste, Québec, Souveraineté

Distributeur :

DLL Presse Diffusion
1650, boulevard Lionel-Bertrand
Boisbriand, Québec
J7H 1N7
(450) 434-4350
www.dllpresse.com

ISBN 2-923365-05-4

Dépôt légal – Bibliothèque nationale du Québec, 2006
Dépôt légal – Bibliothèque et Archives Canada, 2006

MANIFESTE LUCIDE
pour la fin de l'hégémonie fédéraliste
SUR L'INFORMATION

MEA-CULPA

C'est un mystère pour moi.
Les gouvernements péquistes n'ont jamais
compris qu'il leur fallait se doter d'une antenne
d'information publique proprement québécoise, comme
Ottawa l'a fait au plan fédéral et canadien.
C'est une question d'autodéfense.
[…] En situation de crise, l'information, c'est tout.
[…] Quand on se propose comme le PQ de casser un
pays en deux, la courte vue, l'esprit de compromission
et l'angélisme sont la meilleure garantie de faillite.

- Pierre Godin, écrivain

Pour être corrompu par le totalitarisme,
il n'est pas nécessaire de vivre dans un État totalitaire.

- George Orwell

Avec la publication cet automne du livre *Nos*
ennemis, les médias. Petit guide pour comprendre la désinfor-
mation canadienne et la diffusion de notre manifeste
qui en appelle à la fin de l'hégémonie fédéraliste sur

l'information, l'organisation du *Québécois* est plus fermement que jamais engagée dans un processus d'opposition musclée avec les médias du Québec, eux qui défendent autant de points de vue fédéralistes et de droite. *Le Québécois* est par le fait même devenu, aux yeux des scribouilleux de *Gesca*, mais aussi de *Quebecor* et du *Devoir*, une hydre malodorante qu'ils espèrent abattre, peu importe le moyen retenu pour ce faire : propagande, diffamation, désinformation et surtout censure. Car, pour paraphraser l'éminent sociologue Jürgen Habermas, qui n'est pas sur la place publique n'existe pas! Une façon proprette de nous donner la mort, quoi!

Se défendant du mieux qu'ils le pouvaient (c'est-à-dire bien malhabilement) des accusations proférées à leur endroit dans *Nos ennemis, les médias*, les rares journalistes qui se sont intéressés aux questions que nous soulevions (la concentration de la presse est pourtant un grave problème au Québec, ce sujet aurait donc dû les intéresser au plus haut point, cherchez l'erreur...) nous ont reproché de complètement fabuler et d'inventer des problèmes là où il n'en existait aucun. Des fous, nous n'étions que des fous seulement habiles à parler à travers un chapeau, qu'il nous sied ou pas. La preuve qu'ils voulaient déterminante était à l'effet qu'eux, dans leur travail de tous les jours, ne se voyaient jamais imposer de diktats les contraignant à défendre des points de vue fédéralistes. Il est clair que la chose est inutile quand les employeurs appelés à recruter de nouveaux journalistes / chroniqueurs s'assurent de bien mettre à la corbeille tout curriculum vitae de candidats au profil séparatiste, ce qui évite de faire augmenter le nombre de journalistes permanents qui sont indépendantistes (car il y en a bien quelques-uns). Dans ces circonstances, nul besoin de surveiller cette pléthore de néo-journalistes fédéralistes, car la confiance entre gens du même sexe politique est alors au rendez-vous. Pour ce qui est des indépendantistes qui oeuvrent déjà dans les médias du Québec, ceux-ci savent pertinemment pour qui ils travaillent, c'est-à-dire un groupe de presse fédéraliste ou qui refuse d'adopter des points de vue indépendantistes, ce qui au bout du compte revient au même. Ce n'est conséquemment pas une bonne idée pour eux d'aller à contre-courant des idées du patron et de jouer aux trublions, car ce faisant, ils mettraient leur gagne-pain en jeu, rien de moins. Finalement, il est important de savoir que les professionnels de l'information sont soumis à diverses pressions qui leur font bien comprendre qu'il est interdit d'appuyer, d'une quelconque façon, le projet de pays du Québec. Les fesses serrées, voilà l'attitude que doivent adopter les professionnels de l'information d'obédience indépendantiste s'ils désirent conserver leur emploi.

Parons dès maintenant les coups les plus sournois qu'aiment bien nous assener les plus grands désinformateurs du Québec et mentionnons immédiatement que je ne suis pas le seul à tenir pareil discours subversif. Il est par conséquent inutile de me traiter tout de suite de paranoïaque mûr pour l'asile, vous qui avez des tribunes inquisitoriales pour détruire les réputations (je suis sûr que vous vous reconnaissez en lisant ce passage, pas vrai Messieurs Marissal, Pratte, Dubuc, Cornellier et compagnie). Attendez encore quelques instants avant de ce faire (on sait que vous avez plutôt l'habitude de lire rapidement et en diagonale, pour dénicher deux ou trois passages incriminants, il est par conséquent pertinent de vous mettre en garde contre vous même), car vous découvrirez qu'un de vos collègues – que dis-je, un de ceux qui a jadis présidé votre confrérie – disait la même chose il n'y a pas si longtemps. Alain Saulnier – pour ne point le nommer –, alors qu'il était président de la Fédération professionnelle des journalistes du Québec (FPJQ), écrivait en 1995 que « le simple fait que la majorité des grandes entreprises de presse soient entre les mains de propriétaires fédéralistes ou même de l'État canadien, constitue objectivement une source de tension pour les journalistes qui y travaillent. On ne peut leur en vouloir si, parfois, ils se sentent scrutés à la loupe de ce côté-là[1] ».

Qu'est-ce que je disais dans *Nos ennemis, les médias* ? À peu près la même chose, sauf que moi on pouvait m'affubler des pires épithètes ou refuser de publier mes répliques à mes détracteurs, puisque après tout je ne suis qu'un séparatiste aucunement digne du respect le plus élémentaire!

Évidemment, pour demeurer dans les bonnes grâces de ses patrons, Saulnier ne pouvait s'en tenir qu'à une telle version des faits. Pour éviter les problèmes, il devait également écorcher au passage les indépendantistes; que ce soit vrai ou pas, peu importe, l'important c'est que ça donne un aura d'objectivité. C'est pourquoi il a cru bon ajouter le passage suivant : « Les souverainistes ne donnent pas non plus leur place, eux qui trouvent surprenant que les journalistes ne les rejoignent pas dans leur combat, comme si on était en pleine guerre d'indépendance ». Si Saulnier avait été le moindrement honnête, il aurait précisé dans son texte que la pression exercée par les indépendantistes sur les journalistes, pression qui n'est constituée que d'appels du pied pour les amener à joindre leurs rangs, n'est très certainement pas de la même eau que la pression exercée par les fédéralistes sur ces mêmes journalistes, eux qui possèdent les médias et contrôlent par conséquent l'information. Comment, en effet, les journalistes peuvent résister aux pressions de leurs patrons fédéralistes (eux qui comptent parmi les citoyens les plus influents du Québec) alors que ce sont eux qui leur remettent leurs chèques de paie ? On conviendra aisément que l'impact obtenu par les indépendantistes et les fédéralistes sur les journalistes n'est pas le même, et c'est un euphémisme de le dire ainsi.

Il n'y a pas que Saulnier pour parler du climat de tension dans lequel évoluent les journalistes indépendantistes au Québec. Didier Fessou, chroniqueur artistique du très distingué *Le Soleil*, lui qui n'est très certainement pas reconnu pour faire partie de la cinquième colonne séparatiste qui sévirait dans les médias d'ici, a dernièrement confirmé que ses supérieurs et collègues n'avaient absolument pas apprécié (et ils lui avaient laissé durement savoir) les rares fois où il s'était permis de défendre une position nationaliste (à ne pas confondre avec une position indépendantiste). En guise d'exemple, Fessou racontait dans une de ses chroniques que lorsqu'il avait osé dire qu'il était inconcevable de retrouver au Québec des rues au nom de nos pires tortionnaires (Wolfe, Amherst, Monckton, Colborne, etc.), une collègue réputée lui avait fait comprendre qu'il était mieux de ne jamais répéter l'expérience. Sinon… Et le petit chien de faire alors la pirouette! Admettons qu'on est loin dans ce cas-ci d'un appel à la révolution. Alors imaginons un seul instant quelle aurait été la réaction de ladite gardienne de la foi fédéraliste parmi les journalistes si Fessou avait eu le malheur de dire que l'indépendance, finalement, c'est un projet fort souhaitable pour le Québec. Le seul fait d'imaginer les conséquences associées à une telle prise de position convainc bon nombre de professionnels de l'information de garder la queue entre les jambes et de ne jamais remettre ainsi en question la nature de leur travail et celle de leurs collègues. Et après ça, on s'étonne que le monde médiatique soit sclérosé!

Heureusement, les professionnels de l'information ne sont pas tous atteints de pusillanimité aiguë. Certains journalistes, nullement couards comme les autres, ont osé briser ce mur de la censure anti-séparatiste imposée dans tous les médias du Québec. Ceux dont il est ici question ont osé défendre des points de vue indépendantistes, en dehors de leur travail pour la plupart, même s'ils étaient au service d'une entreprise de presse fédéraliste. Tous payèrent très cher leur liberté de pensée. Demandez-le à Normand Lester, lui qui a été congédié en 2001 par *Radio-Canada* parce qu'il avait osé publier le *Livre noir du Canada anglais*, une enquête historique et non pas un pamphlet ou un essai indépendantiste comme plusieurs le croient toujours aujourd'hui. Pour justifier la décision de la boîte d'État fédéraliste, le directeur général des communications de la *SRC* de l'époque, Marc Sévigny, a expliqué « qu'il y a eu manquement du fait que les journalistes sont tenus de ne pas prendre position publiquement sur des sujets controversés[2] ». Discours hypocrite et combien malhonnête s'il en est un! Plus exact aurait été de dire que les journalistes doivent travailler dans le sens du mandat de la *SRC* qui est de préserver l'unité canadienne. Partant de là, les sujets controversés concernent uniquement l'indépendantisme. Et c'est ça la vérité que la *SRC* se doit de dissimuler le plus efficacement possible. Pour y parvenir, les journalistes radio-canadiens peuvent recourir à divers stratagèmes tous plus hypocrites les uns que les autres, comme celui de laisser le soin aux faiseux d'opinions de *Gesca*, eux qui sont par trop souvent invités sur les ondes de la télé publique canadienne, de prononcer des discours anti-indépendantistes de nature à soulever un tollé. Pour eux, il est tout à fait approprié de casser du séparatiste. Des émissions spéciales sur les ondes de *Radio-Canada* où seuls les Vincent Marissal ou les André Pratte sont appelés à commenter l'actualité sont légion, et cela constitue un accroc sérieux à la consigne qui stipule que les employés de *Radio-Canada* ne doivent pas prendre position publiquement sur des sujets controversés.

Et n'allez surtout pas penser que ce ne sont là qu'autant de cas isolés et que je généralise encore une fois en me faisant ainsi critique des médias. Plusieurs indépendantistes à l'emploi d'entreprises de presse fédéralistes ont été hier comme aujourd'hui maltraités par leur employeur. C'est ce qui est arrivé à Jean-Denis Lamoureux et Pierre Schneider chez *Quebecor*, mouture Pierre-Karl, et à Gilles Archambault au *Devoir*. Et dernièrement, c'est encore chez *Radio-Canada* qu'on a assisté à un congédiement à saveur politique. Même si ça faisait huit ans que l'un des membres des Zapartistes, François Parenteau, faisait une chronique d'humour politique lors de l'émission *Samedi et rien d'autre* de Joël Le Bigot et que tous semblaient satisfaits de son travail, la direction de la *SRC* a jugé bon, malgré tout, de le congédier. Pourquoi? Tout simplement parce qu'il a eu le « culot » de dire que Paul Martin et Jean Chrétien, c'était du pareil au même, hormis peut-être le courage qui fait défaut au premier. Pour la *SRC*, c'en était trop, et c'en était donc finie de la collaboration avec ce souverainiste de « service ». Pour défendre pareille décision, la directrice générale des communications de la *SRC*, Guylaine Bergeron, a affirmé que « la radio de *Radio-Canada* favorise la diversité d'opinions et non le monopole de l'opinion »…Vaut mieux lire ça que d'être aveugle! Est-ce qu'on demande à André Pratte qui va faire œuvre missionnaire très régulièrement à la *SRC* de diversifier ses points de vue? Une fois, un Pratte souverainiste, et une autre fois un Pratte fédéraliste?

Bien sûr que non. Petit Pratte peut toujours faire dans le *puretdurisme* fédéraliste sans importuner aucunement « Bob » Rabinovitch, le gourou de la *SRC*. Mais quand c'est un souverainiste qui véhicule ses idées, le couperet tombe violemment! La liberté d'expression à la *SRC*, ce n'est rien d'autre que ça : tu es libre, petit employé de rien du tout, de t'exprimer tant que tu penses comme moi, ton patron canadien, mais du moment où tu t'écartes de mes dogmes, prépare-toi à en payer le prix… Et cela ne date pas d'hier. Rappelons-nous que le journaliste Claude-Jean Devirieux a été congédié de la *SRC* pour avoir simplement décrit le réel lors de l'émeute de la St-Jean 1968 (Lundi de la Matraque). À la *SRC*, on n'informe pas sur la réalité, on la déforme ou on la dissimule.

Les « petits » travailleurs indépendantistes ont, c'est le moins que l'on puisse dire, la vie dure à la *SRC*. Tout comme les séries télévisées à saveur indépendantiste d'ailleurs. Même si Alain Chartrand avait déjà écrit la suite de la télésérie *Chartrand et Simonne*, la *SRC* a toujours refusé de s'engager à la diffuser. La raison invoquée par la télé d'État fédérale était qu'elle préférait « donner la parole à quelqu'un d'autre [que Michel Chartrand] pour illustrer l'histoire du Québec[3]». Mais qu'est-ce que la première portion de la télésérie faisait si ce n'était que de s'appuyer sur Chartrand pour parler de l'histoire du Québec? En fait, le problème est que la *SRC* était tout à fait à l'aise de présenter un Chartrand évoluant dans les années 1940 ou 1950, mais elle ne voulait absolument pas d'une série présentant un Chartrand impliqué dans les événements de la Crise d'Octobre. Mieux valait censurer une portion de la vie du personnage plutôt que de rappeler ces durs événements au cours desquels on a vu le fédéral violer les libertés civiques des Québécois en décrétant la Loi sur les mesures de guerre. À peu près la même chose est survenue dernièrement avec une télésérie sur René Lévesque. Afin de ne pas donner, durant la présente campagne électorale, un coup de pouce à un Bloc québécois qui n'en a décidément pas besoin, la *SRC* a annoncé qu'elle reportait à plus tard la diffusion de ladite télésérie. « La direction des télévisions françaises et anglaises de *Radio-Canada* considèrent qu'elles ne peuvent se permettre de laisser planer le moindre doute quant à leur neutralité dans la présente campagne qui s'engage et c'est pour cela qu'elles ont choisi de remettre à plus tard la diffusion de séries dramatiques[4]». Séries dramatiques au pluriel, puisque *Radio-Canada* a aussi retiré une série sur l'un des plus importants chefs du NPD, Tommy Douglas. Pour la direction de la *SRC*, il était clair que René Lévesque et Tommy Douglas avaient tous deux été impliqués de près dans la vie de deux des partis impliqués durant les élections. Ce qui est faux, puisque René Lévesque n'a jamais contribué à la fondation même du Bloc, et n'a jamais été impliqué sur la scène fédérale, alors que Tommy Douglas si. Mais il est vrai qu'en procédant de la sorte, *Radio-Canada* donnait l'impression à plusieurs qu'elle ne s'acharnait pas seulement contre les souverainistes, qu'elle était juste et impartiale en refusant de diffuser des séries en mesure d'appuyer n'importe lequel des partis politiques, sans discrimination aucune.

Comme nous le mentionnions précédemment, *Le Québécois* est devenu au fil des ans le principal acteur politique qui ose dénoncer le caractère éminemment fédéraliste des médias du Québec. En agissant de la sorte, il est clair que nous ne nous faisons pas beaucoup d'amis parmi les journalistes, c'est le moins que l'on puisse dire. À ce chapitre, l'automne 2005 a amplement démontré que bon nombre de professionnels de l'information étaient fermement décidés à discréditer ce journal alternatif qu'est *Le Québécois*, lui qui réclame tout simplement un équilibre dans les points de vue politiques diffusés via les grands médias québécois. Et le tout a véritablement commencé avec notre sortie contre la nouvelle gouverneure générale, Michaëlle Jean.

Pour faire une histoire courte, contentons-nous de dire que dans cette saga, *Le Québécois* n'a fait que rendre publiques – sans insulter personne – certaines informations qui démontraient hors de tout doute que le mari de la GG, Jean-Daniel Lafond, avait été jadis un indépendantiste convaincu et qu'il avait entraîné sa femme dans ses pérégrinations souverainisantes. *Le Québécois* se demandait alors si un tel profil faisait de Michaëlle Jean une bonne candidate pour le poste qui lui était offert. Non pas parce qu'on s'inquiétait d'une quelconque façon pour des institutions fédérales parmi les plus passéistes– en fait, on en a rien à foutre –, mais tout simplement parce qu'on voulait ainsi démontrer que Paul Martin était un incompétent de première et qu'il n'était même pas à même de faire une simple nomination routinière. Faire flèche de tout bois contre nos ennemis fédéralistes, voilà le leitmotiv du *Québécois*, et en plus, en bonus, on avait dans ce cas là l'occasion de bien démontrer que les médias dissimulent de l'information au public, ce qui n'était pas pour nous déplaire, loin s'en faut! Car, qui peut sérieusement croire qu'il n'y avait qu'un journal alternatif à peu près sans moyen tel que *Le Québécois* pour connaître le passé souverainisant de Michaëlle Jean? Bien naïfs sont ceux qui le croient!

Oser ainsi s'en prendre au gouvernement canadien, au chef de l'État canadien et aux médias censeurs, c'était décidément avaler un gros morceau tout d'un coup. Rapidement, *Le Québécois* dut faire face – seul – à la tempête qu'il avait déclenchée. Et les éléments n'ont pas mis de temps à se déchaîner. La plupart des salves fusèrent des courroies de transmission des partis libéraux : *Gesca* et *Radio-Canada*. De la bouche de leurs artisans sont sortis les pires qualificatifs à notre endroit, ce qui démontre bien qu'ils ne sont pas là pour informer les Québécois, mais bien pour défendre le Canada. Tout d'abord, les commentaires du très insipide André Pratte, la plume mercenaire de *La Presse*. Il a dit de nous que nous étions un commando souverainiste, des guérilleros de l'indépendance, des ayatollahs, des ceintures fléchées, des chargeurs mesquins et absurdes, des terroristes intellectuels, spécialistes du procès d'intention. Il a aussi dit que nos motifs étaient vils et vénaux, et que nous étions des intégristes souverainistes. Quant à lui, Vincent Marissal nous a qualifiés d'adeptes de l'ânerie et de producteurs de feuille de chou. Alain Dubuc en a remis en nous associant aux éléments les plus marginaux et les plus caricaturaux de notre monde politique. Il a aussi dit que René Boulanger n'était qu'un pseudo-écrivain qui écrivait lui-même ses notices biographiques, que nous représentions les éléments les plus primaires du mouvement souverainiste et que nous étions imbibés d'une culture stalinienne (cette insulte provenant d'un ancien marxiste-léniniste a de quoi en faire marrer plus d'un, dont nous sommes, soyez-en assurés!). Et c'est nous, après ça, qu'on accuse de faire dans l'insulte! On aura tout vu…

Ce travail fort disgracieux qu'ont effectué les pantins de Paul Martin n'a pas déplu qu'à nous (en fait, en ce qui nous concerne, nous les avons trouvés plutôt drôles lorsqu'ils s'énervaient comme autant de couventines en chaleur). Cette opération de dénigrement malhonnête a aussi horripilé une collègue des hurluberlus toujours prêts à arborer l'unifolié : Lysiane Gagnon. Quand c'est rendu que c'est *miss* Gagnon, autre plume tout aussi acérée que fédéraliste de *Gesca*, qui dit comprendre les motivations du *Québécois* et le sens de son travail, on peut dire sans crainte de se tromper que la coupe médatico-canadienne est pleine d'un dégueulis désinformant qu'on a déjà trop bu et que nombreux sont ceux qui rejettent ces façons de faire dignes d'une république bananière. Après avoir lu la nomenclature des commentaires idiots formulés par Pratte, Dubuc et Marissal, il est jouissif de lire ce que disait alors d'eux Lysiane Gagnon :

> *Le plus incongru, c'est que lorsque les militants du* journal Le Québécois *ont exposé des détails embarrassants sur le passé politique du couple, les grands médias leur ont sauté dessus férocement, en les accusant de « chasse aux sorcières ». Pourtant, Mme Jean et M.*

Lafond étaient alors devenus des personnalités publiques. N'est-il pas normal que ceux qui aspirent à des hautes fonctions politiques voient leur passé examiné à la loupe? C'est ce qu'auraient dû faire les grands médias, au lieu de tomber béatement sous le charme de la belle Michaëlle[5].

Mais l'Affaire Michaëlle Jean n'était que la première étape d'une stratégie automnale devant nous permettre de critiquer plus vertement que jamais les médias. Et c'est la publication du livre *Nos ennemis, les médias. Petit guide pour comprendre la désinformation canadienne* qui devait nous aider à y parvenir. Ce livre, fruit d'un an d'efforts, démontre hors de tout doute que les médias ont une influence déterminante sur l'opinion publique (pour le démontrer, nous nous sommes appuyés sur les analyses des plus grands spécialistes du domaine : Jacques Ellul, Noam Chomsky, Vladimir Volkoff, etc.) et que le traitement médiatique effectué lors de la campagne référendaire de 1995 a été incontestablement à l'avantage du camp du Non[6]. Si *Nos ennemis, les médias* nous a permis d'entamer une tournée, de parler à bien des gens du problème des médias, de diffuser nos idées dans le réseau des librairies, de participer à des salons du livre, etc., force nous est de constater qu'il fut boudé par les médias d'ici. À l'évidence, ceux-ci ne sont absolument pas prêts à se pencher sur le travail qu'ils font et sur la place qu'ils réservent au mouvement indépendantiste dans leurs analyses. Pourtant, l'idée d'indépendance est présentement plus populaire qu'à peu près jamais dans notre histoire. Il serait donc tout à fait à propos que les professionnels de l'information réfléchissent sérieusement à la chose. Mais non, ils préfèrent conserver encore et toujours cette attitude obséquieuse qu'on leur connaît et s'en tenir à la défense de l'unité canadienne. Un jour ou l'autre, ils devront payer pour cette félonie.

Pourtant, il est clair que les questions soulevées dans *Nos ennemis, les médias* sont d'intérêts public et journalistique. Sinon, comment expliquer que nous ayons eu des demandes pressantes provenant d'Europe pour des copies de presse (ce qui nous a valu une mention fort positive dans le *Monde diplomatique*), mais aussi de plusieurs chroniqueurs politiques du Québec les plus en vue Et n'allez surtout pas me dire que c'est parce que le livre s'est finalement révélé médiocre - ce qui n'est pas l'avis du *Monde diplomatique* - que ceux-ci ont décidé de ne point en parler, car il est évident que si tel avait été le cas, ils auraient été alors trop heureux de démolir mes analyses et prétendre ainsi qu'il n'y a aucun problème dans le monde médiatique du Québec. Comment expliquer aussi qu'on ait parlé du livre dans un journal de l'Acadie et dans bon nombre de

journaux alternatifs du Québec? Un traitement simi-
laire fut réservé au manifeste qui fait l'objet du présent ouvrage, manifeste qui est cosigné par une pléthore de personnalités de renom. À eux seuls, ils
auraient justifié que les quotidiens québécois
publient le texte. Après tout, le problème soulevé
dans ce manifeste est tout aussi important que ceux
dénoncés dans le manifeste de « Lucide » Bouchard
ou celui de « So-lidaire » David! Bien que nous ayons
organisé une conférence de presse pour présenter
notre manifeste aux médias, bien que nous l'ayons
envoyé à la très grande majorité des journalistes du
Québec, nul n'en a parlé (excepté l'éditorialiste du
Nouvelliste, pour le discréditer bien sûr) et aucun
journal n'a accepté de le publier. La censure qui a
frappé notre manifeste nous a contraints à acheter
un espace publicitaire dans *Le Devoir* pour révéler
l'existence de ce texte important, que des milliers
d'internautes ont pu lire sur le site du *Québécois,* et
nous a poussés à publier le présent livre. S'il est pour
le moins particulier que des indépendantistes doivent payer pour faire connaître leurs idées, alors que
dans pareille situation les militants des autres cou-
rants politiques obtiennent une couverture médiatique gratuite, on peut au moins se consoler en se
disant que les ressources du *Québécois* – acteur très
actif dans le combat que les indépendantistes
mènent pour la liberté – sont maintenant trop
importantes pour que les médias fédéralistes puis-

sent nous imposer complètement leur silence liber-
ticide. Et *Le Québécois*, de par son mandat, peut enfin
donner la parole aux personnalités indépendantistes
qui ont toutes les difficultés du monde à percer le
filtre médiatique. Au premier chef, on pense bien
sûr à Pierre Falardeau.

Mais au fait, pourquoi ce titre : *Mea-Culpa*?
Ce titre est d'une pertinence certaine puisque je dois
dès à présent admettre mes torts. Je l'avoue bien
candidement, j'ai eu tort de dénoncer les médias
comme je l'ai fait dans *Nos ennemis, les médias* et dans
le journal *Le Québécois*. Si j'avais su au moment
d'écrire ce livre et ces articles tout ce que je sais au
moment d'écrire les présentes lignes, j'aurais été dix
fois plus virulent, et ce, parce que la situation médiatique que nous subissons au Québec est au moins
dix fois pire que ce je pensais il y a tout juste six
mois de cela; le sort réservé par les médias au
Québécois, entre autres, le démontre amplement.
Sans l'ombre du moindre doute, le Québec traverse
actuellement une âpre crise de l'information. Seuls
quelques individus, bien nantis il va sans dire, et
fédéralistes de surcroît, décident de ce que les
Québécois se verront servir comme information.
C'est carrément inacceptable ! Et dans ce menu
indigeste préparé par des médias serviles triom-
phent bien évidemment André Pratte et sa clique de
désinformateurs qui débagoulent sans cesse en

faveur d'un Canada uni, mais ce menu est aussi le royaume des émissions ridicules et débilitantes telles que *Loft Story* ou *Star Académie*. Bref, ceux qui veulent réfléchir sérieusement à l'avenir politique du Québec doivent le faire malgré les médias et malgré les antres du divertissement facile.

Mais comment en sommes-nous arrivés là ? Dans les années 1980, raconte l'écrivain Simon Louvish, un groupe de Soviétiques était en voyage aux États-Unis, question de voir comment la vie se vivait au pays de l'Oncle Sam. Ces derniers furent très surpris de constater que là-bas comme chez eux, les médias étaient les champions de la pensée unique : « Dans notre pays, pour obtenir ce résultat, nous avons une dictature, nous emprisonnons des gens, nous leur arrachons les ongles. Ici, vous n'avez rien de tout cela. Alors, quel est votre secret? Comment faites-vous? » Évitons de présumer des éléments que contient la recette américaine de désinformation et contentons-nous de dire que pour parvenir au même résultat, ici, au Québec, il a simplement fallu que nos gouvernements fassent preuve d'un laxisme honteux, ce qui a permis aux entreprises de presse de se concentrer à un point tel qu'on parle quasiment d'un contexte médiatique totalitaire au Québec à l'heure actuelle. Les Péladeau et Desmarais sont ainsi devenus les façonneurs d'une opinion publique qui n'a plus rien, dans ces circonstances, de diversifiée. Les généreux salaires distribués à ceux qui acceptent de se mettre au service de ces empires ont fait le reste. Voilà comment s'est construite la pensée unique médiatique au Québec, sans torturer personne, et sans presque aucun grincement de dents.

Pour s'assurer que ceux qui critiquent une telle concentration de la presse demeurent toujours très marginaux, ces mêmes empires de presse ont recours au mensonge pour faire croire aux gens que de tels monopoles ne nuisent en rien à l'information ni à la démocratie. À ce chapitre, André Pratte est encore une fois un bon exemple. Voilà ce qu'il disait il n'y a pas si longtemps pour cacher le fait qu'il est à l'emploi d'un vaste système de désinformation fédéraliste :

> *Il n'y a pas au Québec de grands médias qui soient partisans. Dans sa colonne éditoriale,* La Presse *prône le développement du Québec au sein du Canada, mais cela n'empêche aucunement ses éditorialistes d'y critiquer les partis fédéralistes. Cela n'empêche encore moins la rédaction de publier des nouvelles embarrassantes pour ces derniers, comme nous l'avons fait à plusieurs reprises à la suite de notre enquête sur les commandites.*

Non, mais, quel personnage ce Pratte! Bien malhonnête serait celui qui refuserait d'admettre que *La Presse* met toujours des gants blancs lorsqu'elle critique les libéraux du Québec et du Canada. Après tout, la famille du grand patron finance abondamment ces partis. Il ne faudrait pas que les valets qui lui servent d'employés agissent de façon à lui déplaire. Par ailleurs, les critiques formulées dans *La Presse* à l'égard des libéraux ne concernent jamais leur attachement viscéral à l'unité canadienne, tandis que lorsque les professionnels de l'information qui y sévissent se penchent sur le PQ, ils ne se gênent nullement pour dénoncer le projet indépendantiste. Et cela, ne vous en déplaise, petit Pratte, ça constitue un déséquilibre dans le traitement de l'information que vous contribuez vous-même à entretenir. C'est une injustice qui mérite d'être dénoncée, mais vous n'oserez jamais le faire. Et c'est pourquoi vous êtes un mercenaire et non pas un journaliste. Finalement, il faut être vraiment tordu pour prétendre, comme il le fait dans cette dernière citation, que c'est *La Presse* qui est à l'origine d'une enquête sur les commandites. Si ce n'avait été du Bloc Québécois, jamais on n'aurait appris l'existence d'un tel scandale. Quant à *La Presse*, elle a plutôt tenté de réduire l'impact négatif que ce scandale a eu sur les partis libéraux…On reconnaît bien là la putain de la rue St-Jacques !

Alain Saulnier tenta lui aussi de dissimuler la véritable nature des médias du Québec :

Ici au Québec, on se ferait accuser de tous les mots si on n'accordait pas un droit de réplique ou un temps d'antenne équilibré à chacun des deux camps. Nous ne serions pas honnêtes et nous perdrions notre crédibilité si nous faisions abstraction du courant souverainiste[7].

N'en déplaise à Saulnier, les indépendantistes ne jouissent nullement d'un droit de réplique équivalent à celui des fédéralistes (nous en sommes la preuve vivante) et le traitement médiatique, au Québec, se caractérise par un déséquilibre qui est tout à l'avantage de ces mêmes fédéralistes. Force nous est donc de déclarer, nous appuyant sur les dires de cet éminent journaliste qu'est Saulnier, que les médias d'ici sont malhonnêtes et l'on ne peut absolument pas leur accorder ne serait-ce qu'une once de crédibilité. Pour être informé adéquatement au Québec en 2005, il est évident qu'il faut très bien savoir lire entre les lignes, parce que tous nos médias ne sont qu'autant d'organes de propagande. La situation est devenue tellement ridicule qu'on pourrait dire, sans risque de faire rire de soi, qu'il ne reste plus qu'un journaliste sérieux au Québec : *Infoman*. C'est tout dire!

Mais terminons malgré tout sur une note positive. Terminons en disant que la censure et la désinformation sont toujours des armes difficiles à manier et que, plus souvent qu'autrement, elles se retournent contre celui qui en use à son propre profit. Au Québec, il est clair que le pugnace mouvement indépendantiste est trop fort pour accepter d'être ainsi réduit au silence par des individus tout aussi «vils que vénaux». Depuis quelques années maintenant, nous, au *Québécois*, faisons des pieds et des mains pour redonner la parole aux indépendantistes. Et plus le temps passe, plus nombreux sont ceux qui nous accompagnent dans ce combat. Un jour ou l'autre, nous accomplirons notre mission. Coulera alors un torrent salvateur qui libérera la parole des gens d'ici. L'empire de la pensée unique si cher à Pratte et compagnie ne sera alors plus qu'un funeste vestige du passé. Tondus (intellectuellement) ils seront, et ce sera très bien ainsi!

Patrick Bourgeois
Dir. Journal Le Québécois

----

[1] Alain Saulnier, «Référendum : dans quel camp logent donc les journalistes québécois ?», La Presse, 21 mars 1995, p. B3

[2] Rollande Robitaille, «Normand Lester est suspendu de ses fonctions à *Radio-Canada*», Presse Canadienne, 20 novembre 2001

[3] «La SRC refuse de s'engager», Presse Canadienne, 19 janvier 2000

[4] «*Radio-Canada* retire une série sur René Lévesque», Presse Canadienne, 2 décembre 2005

[5] Lysiane Gagnon, «Une reddition spectaculaire», La Presse, 29 septembre 2005, p. A27

[6] Après avoir analysé des milliers d'articles de journaux, nous en sommes arrivés à la conclusion que 62 % des articles publiés dans *Le Droit* en 1995 étaient favorables au Non, alors que seulement 26 % d'entre eux étaient favorables au Oui; que 54 % des articles publiés dans *La Presse* étaient favorables au Non, alors que 30 % étaient favorables au Oui; que 51 % des articles publiés dans le *Journal de Québec* étaient favorables au Non, alors que 44 % étaient favorables au Oui, que 48 % des articles publiés dans *Le Soleil* étaient favorables au Non, alors que 37 % étaient favorables au Oui; et que 45 % des articles publiés dans *Le Devoir* étaient favorables au Non, alors que 43 % étaient favorables au Oui. Il est à noter que quelques points de pourcentage sont constitués d'articles dits équilibrés.

[7] Saulnier, loc.cit.

Manifeste lucide
pour la fin de l'hégémonie
fédéraliste sur l'information

Pour être libres, les médias et les professionnels
de l'information ne doivent être assujettis
à aucune forme de pouvoir extérieur;
Ils doivent aussi s'assurer qu'ils ne deviennent pas
eux-mêmes une menace au droit du public à l'information;

-Conseil de presse du Québec

L e mouvement indépendantiste est bafoué dans ses droits par les principales entreprises de presse du Québec, c'est l'évidence même et les recherches les plus sérieuses le prouvent maintenant hors de tout doute. Les indépendantistes québécois qui veulent faire connaître leurs points de vue rencontrent toutes sortes de difficultés imposées par des médias qui ne souhaitent qu'une chose : que le Québec demeure encore et toujours sous le joug de l'empire néocolonial canadien. Les indépendantistes sont alors victimes de déséquilibre dans le traitement de l'information, de distorsion des faits, quand ce n'est pas carrément de censure. La mascarade a assez duré! Les indépendantistes représentent près de 70 % des francophones au Québec et doivent pouvoir se faire entendre. Nous, soussignés, militerons sans relâche pour que cela soit!

Le Québec est une société où l'on retrouve un marché des médias des plus concentrés. Il ne serait pas faux de dire que ce marché est même le plus concentré au monde. À elles seules, les entreprises de presse *Power Corporation / Gesca* et *Quebecor* impriment plus de 95 % des exemplaires des quotidiens qui circulent au Québec. Considérant que l'empire *Power Corporation* s'est depuis longtemps payé l'allégeance des partis libéraux du Canada en les finançant abondamment et en les dotant de chefs qui ont été conçus et fabriqués dans la cuisse de Paul Desmarais et que *Quebecor*, nouvelle mouture, ne se préoccupe plus que d'argent vite fait via des projets abrutissants, il est clair que les médias du Québec ne sont plus l'endroit où l'on peut débattre de notre évolution en tant que collectivité. C'est notre vie démocratique qui est menacée par les médias québécois, il est temps que tous s'en rendent compte!

Les seules occasions où les indépendantistes parviennent à briser la loi du silence que leur imposent les médias, c'est lorsque leurs agissements sont de nature à créer un scandale et salir la réputation d'un mouvement qui s'approche lentement mais sûrement de la victoire. Ou encore, lorsqu'ils ne disent rien de vraiment subversif. C'est d'ailleurs en adoptant un discours mièvre que le PQ et le BQ sont parvenus à jouir d'une certaine couverture médiatique, couverture qui rapporte certes leurs déclarations en tant que parlementaires, mais à peu près jamais en tant qu'indépendantistes. Rien pour vraiment favoriser l'accomplissement du projet démocratique, mais révolutionnaire que nous chérissons, nous, les indépendantistes qui nous retrouvons ainsi orphelins de partis décidés à faire ce pourquoi on les a créés! La peur des médias qui façonnent l'opinion publique pousse à toutes sortes de comportements plus obséquieux les uns que les autres...

Bien que l'idée du pays du Québec puisse maintenant recevoir l'aval d'une majorité de Québécois (les sondages le confirment), la très grande majorité des chroniqueurs d'ici se démarquent par leur refus obstiné à reconnaître la pertinence du projet. En fait, il n'y a que Josée Legault, Lise Payette, Franco Nuovo et Michel Venne qui se sont clairement affichés comme indépendantistes et qui prennent, à intervalle plus ou moins régulier, position en faveur de cette idée dans les médias où ils travaillent. Ce n'est très certainement pas suffisant! Mais il est vrai que l'empire *Power Corporation* (plus de 50 % du marché de la presse au Québec) refuse, violant les principes mêmes de la démocratie, d'embaucher des professionnels de l'information qui sont indépendantistes, ce qui contribue formidablement à l'absence de commentateurs indépendantistes dans les médias du Québec.

La convergence fédéraliste ne se situe pas seulement dans les entreprises de presse en soi. Il est clair que *Radio-Canada* contribue aussi au phénomène en imposant au plus grand nombre de Québécois possible les points de vue fédéralistes qui sont façonnés dans le giron de *Power Corporation*. Nous en avons plus que soupé de voir la tête d'André Pratte ou de Vincent Marissal, de supposés journalistes neutres et objectifs, à *Radio-Canada* pour commenter la chose politique. Plus souvent qu'autrement, *Radio-Canada* invite seulement ces commentateurs patentés qui ont alors tout le loisir de décrier le mouvement indépendantiste. Pour alimenter sainement le débat, il est impératif d'inviter les deux camps, principe que ne respecte en rien la direction de *Radio-Canada*, prouvant ainsi qu'elle est à l'aise avec son mandat principal qui est de protéger l'unité canadienne. Principe qui n'est en rien synonyme de journalisme ni de démocratie, avons-nous besoin de le préciser.

Dans le contexte actuel, il est plus qu'important que les indépendantistes se penchent avec sérieux sur le problème des médias du Québec, tous fédéralistes à des degrés divers (hormis peut-être *Le Devoir* qui tend à l'équilibre entre les points de vue indépendantistes et fédéralistes). La prochaine bataille référendaire est à nos portes. La frousse que nous avons donnée à nos ennemis fédéralistes en 1995 les a poussés à se réorganiser sérieusement, de façon à ne plus jamais être ainsi pris au dépourvu. Si le traitement médiatique de 1995 fut tout à l'avantage du camp du Non (voir à ce sujet *Nos ennemis, les médias* publié aux *Éditions du Québécois*), il sera dix fois pire lors du prochain référendum. Il ne sert à rien de se mettre la tête dans le sable. Il nous reste quelques années pour confronter ce problème courageusement, de façon à identifier des pistes de solution en mesure de corriger vraiment la situation. L'effort de lucidité à faire au Québec se situe d'abord là et pas ailleurs. La santé démocratique de notre société et son avenir politique sont tout de même en jeu !

La première chose à faire pour le mouvement indépendantiste serait de reprendre l'idée qu'Yves Michaud formulait déjà en 1968 : mettre sur pied une Commission sur la concentration de la presse. Les indépendantistes pourraient aussi créer, et ce dès maintenant, un Observatoire des médias de façon à analyser au jour le jour le travail des médias fédéralistes, eux qui visent principalement à décourager le mouvement indépendantiste, à discréditer ses représentants pour ainsi mieux neutraliser le peuple québécois sur la route de l'indépendance. Il sera alors possible d'informer la population quant aux problèmes qu'on y rencontre en les outillant pour qu'ils réclament eux aussi une révolution dans le monde des médias. Finalement, ces mêmes indépendantistes devront faire pression sur le PQ pour qu'il fasse enfin preuve de courage dans ce dossier. Le programme adopté par ce parti en juin 2005 prévoit d'ailleurs de transformer *Télé-Québec* en véritable entreprise d'information qui informerait honnêtement les Québécois. Or, il faut que cela se fasse, avec ou malgré les ténors péquistes!

Nous, soussignés, déclarons que nous sommes profondément attachés aux principes démocratiques qui doivent guider toute société libre. Nous comprenons que les médias ont un rôle très important à jouer dans nos sociétés et nous respectons leur mission. Mais nous ne la respecterons que si elle s'inscrit dans une démarche vraiment démocratique. Tant que les médias du Québec ne seront qu'autant de courroies de transmission pour la propagande et la désinformation canadienne, nous les dénoncerons avec toute l'énergie qui nous habite. Les indépendantistes ont le droit de se faire entendre et nous y veillerons scrupuleusement.

Pierre-Luc Bégin
Éditions du Québécois

Patrick Bourgeois
Journal Le Québécois

Cosignataires :

Victor-Lévy Beaulieu
Écrivain et éditeur

Jean-Pierre Bonhomme
Journaliste (ancien collaborateur du *Devoir* et de *La Presse*)

René Boulanger
Écrivain

Georges-Étienne Cartier
Psychiatre et ancien candidat du Parti Québécois

Jacques Côté
Écrivain

Robert Dean
Ancien ministre du Parti Québécois et ancien président des TCA-Québec

Pierre Falardeau
Cinéaste

Andrée Ferretti
Écrivaine et ancienne vice-présidente du RIN

Claude Fournelle
Directeur de Québec-Radio

Bernard Frappier
Rédacteur en chef du quotidien indépendantiste
Vigile.net

Claude Jasmin
Écrivain

Philippe Kaminski
Trésorier du Forum francophone international

Denise Laroche
Militante et ancienne candidate du Parti Québécois

Gaston Laurion
Professeur émérite de littérature à l'Université
Concordia

Jean-Marc Léger
Journaliste et ancien délégué général du Québec en
Belgique

Yves Michaud
Ancien député et délégué général du Québec à
Paris, directeur du quotidien *Le Jour* et président-
fondateur de l'APEIQ

Alfred Mignot
Secrétaire général du Forum francophone international, éditeur-fondateur du journal *Vox Latina*, président-fondateur de l'Académie latine de France

Yves Rocheleau
Ancien député du Bloc Québécois et président du Parti Québécois – Mauricie

Albert Salon
Ancien ambassadeur de France et président du Forum francophone international

René-Marcel Sauvé
Écrivain et ancien officier de l'armée canadienne (spécialiste en géopolitique)

Pierre Schneider
Auteur

André Trottier
Écrivain

Denis Trudel
Comédien

LE DÉBAT DEVRA SE FAIRE !

> « *Tout est opinion à la guerre, opinion sur l'ennemi, opinion sur ses propres soldats. Après une bataille perdue, la différence du vaincu au vainqueur est peu de chose. (…) Les mots sont tout.* »

\- Napoléon Bonaparte

Le combat politique qui se déroule au Québec est une guerre d'opinions. Qui, des indépendantistes ou de leurs ennemis, remportera la bataille de l'opinion publique? Là est la question. Dans ce contexte, le débat sur les médias québécois et le sort qu'ils réservent à la question nationale devra bien finir par se faire. À travers les médias traditionnels (sont-ils capables d'autocritique?... doutons-en!) ou malgré eux. Et aussi malgré ceux qui sont trop timorés pour oser remettre en question la doxa officielle, la pensée convenue et admise. Envers et contre tout donc, le débat devra se faire. Question de démocratie. Question de survie et de réussite du projet indépendantiste.

En effet, il devra se faire, car il en va de l'avenir de la démocratie en notre pays, de la santé et de la représentativité de nos médias et de l'avenir du Québec lui-même. Répétons-le, aucun débat sérieux sur l'avenir du Québec ne pourra s'articuler tant que les médias établis au Québec ne seront que des courroies de transmission des partisans du *statu quo* fédéraliste. Les médias ne stimulent pas le débat sur l'avenir du Québec, ils l'étouffent. Cela est très grave. Ils tentent tant qu'ils le peuvent de faire dévier le débat. « Parlons des vraies affaires! ». Démagogie et populisme insignifiant... « Écoutez *Star Académie*! ». Aliénation et abus des masses...

Soyons clairs et limpides, à défaut de se répéter, il sera épouvantablement difficile de gagner un prochain référendum sur l'indépendance, et surtout de faire respecter notre vote en faveur de celle-ci par nos ennemis, si nous ne disposons d'aucun média capable de contrebalancer, d'une part, le biais fédéraliste de la vaste majorité des médias au Québec et, d'autre part, la propension de plusieurs d'entre eux à promouvoir une culture pop *fastfood* plutôt que le débat politique sérieux. Que faire alors d'ici « la prochaine fois »? Les possibilités sont nombreuses, mais elles impliquent de nous mobiliser tous. Avec urgence, il faut faire la bataille de l'information.

D'abord, il importe de soutenir l'établissement et le développement de médias alternatifs (par l'abonnement, le militantisme, la publicité, des programmes de subventions aux médias alternatifs, etc.) en mesure de faire au moins exister un message politique autre que celui du pouvoir fédéral, discours officiel relayé par *Radio-Canada*, *Power Corporation*, *Canadian Press* et autres *Canwest* du Québec. Au *Journal Le Québécois* et aux *Éditions du Québécois*, nous tentons le pari depuis maintenant cinq ans. Et notre volonté n'a d'égal que les milliards que charrient les machines médiatiques de nos ennemis, mais nous ne céderons pas. Nous ne céderons pas car la chose est possible et, surtout, essentielle. Et nous ne sommes pas seuls.

Par ailleurs, le mouvement indépendantiste devrait se doter, dès maintenant, d'un *Observatoire des médias* pour faire des militants indépendantistes et des Québécois en général des lecteurs et des spectateurs critiques de l'information qui leur est soumise par les médias établis. L'oppression de nos médias, bien qu'elle soit omniprésente, est subtile : donnons-nous les outils pertinents pour l'analyser. Ne pensons plus que nous sommes seuls (le présent manifeste prouve avec éloquence le contraire), mais unissons-nous pour faire l'analyse qui s'impose. À chaque jour.

De même, il est grand temps que soit instituée au Québec une importante *Commission sur la concentration de la presse,* non pas seulement pour documenter le phénomène, mais pour instituer un élan dans la société civile et dans les officines gouvernementales pour le combattre. Qui dira encore que la concentration des médias ne pose pas de problèmes? L'éthique capitaliste, mon œil! Dès 1968, Yves Michaud réclamait une commission sur le phénomène. Dieu sait à quel point cette idée est pertinente aujourd'hui alors qu'elle l'était déjà à la fin des années 1960 : le problème a pris de l'ampleur à la puissance dix! Il faudra donc que les militants indépendantistes et la société civile au Québec fassent des pressions de tous les diables pour que le gouvernement québécois, libéral ou péquiste, instaure une telle commission dans l'optique avouée de trouver des moyens pour lutter contre le problème, admis par tous, de la concentration des médias québécois. C'est d'une urgence qui crève les yeux.

Le gouvernement québécois devra aussi s'occuper de sa station de télévision publique : *Télé-*

Québec. Il est plus que temps de doter *Télé-Québec* d'une salle des nouvelles digne de ses concurrents. En effet, *Télé-Québec* doit devenir une station qui puisse offrir des téléjournaux dont l'information serait présentée avec une rigueur sur la question nationale qui fait cruellement défaut actuellement au Québec, particulièrement à la télévision d'État fédérale (porte-voix du régime qui la finance). Cela devrait être fait depuis vingt ans! Mais il n'est jamais trop tard pour bien faire, car le phénomène de la concentration médiatique ne fait que s'aggraver. Or, pour que cette transformation à *Télé-Québec* survienne, on peut penser que la société civile devra faire des pressions titanesques sur le gouvernement québécois : elle y est ici conviée. La santé de la démocratie au Québec en dépend.

Cependant, il faut aussi noter que les solutions ne passent pas uniquement par la voie des médias alternatifs ou celle du pouvoir de l'État, elles résident aussi dans les moyens, modestes mais réels, qui sont à la portée du mouvement indépendantiste pour se faire entendre. À cet égard, Internet est un outil révolutionnaire qu'il faut utiliser au maximum. Certains sites Internet peuvent d'ailleurs s'avérer des sources d'information alternatives de grande qualité et d'une certaine efficacité. Je pense ici évidemment au site du *Journal Le*

Québécois (www.lequebecois.org) mais également à celui du cyber-quotidien Vigile (www.vigile.net). Grâce à de tels sites, la pensée indépendantiste peut faire un petit bout de chemin jusque dans les chaumières de ceux qui s'intéressent à la question nationale et qui prennent le temps d'aller les voir. C'est d'ailleurs grâce à nos outils Internet que nous avons pu déstabiliser la nouvelle Gouverneure Générale du Canada et faire le travail des journalistes officiels (voir à ce sujet *Nos ennemis, les médias*). Depuis, tous, ou presque, ont reconnu que les informations diffusées par le *Journal Le Québécois* étaient d'intérêt public.

Il faudrait également renouer avec le principal moyen qui a contribué à la naissance de la pensée indépendantiste au Québec dans les années 1960 : le travail de terrain. Si nous ne pouvons rejoindre les Québécois par les tribunes des médias établis, nous pouvons aller leur parler directement chez eux, dans leur milieu de travail, dans leur institution scolaire, dans leur syndicat. À ce sujet, il est clair que le message du mouvement indépendantiste serait resté lettre morte dans les années 1960 si les pionniers du mouvement s'étaient fiés sur les médias de l'*establishment* fédéraliste pour faire avancer la pensée indépendantiste dans la population québécoise. On y dépeignait les leaders indépendantistes comme racistes, extrémistes, ethnocentristes… comme aujourd'hui, quoi! Bien sûr, le seul travail de terrain ne pourra suffire, mais il s'agit d'un adjuvant nécessaire au développement de médias indépendantistes alternatifs. Face au mur des médias établis, c'est d'ailleurs par le travail de terrain que nous pourrons favoriser le rayonnement des médias indépendantistes.

Le débat sur le contrôle fédéraliste de l'information devra donc se faire, envers et contre tout. Cela veut dire également envers et malgré les mouvements et partis politiques indépendantistes qui craignent de soulever cette question de peur d'être encore davantage démonisés par les médias québécois. Cette attitude ne les honore pas, bien au contraire. S'en remettre sans cesse à la bonne volonté de médias hostiles est en effet presque suicidaire. Les mouvements et partis politiques indépendantistes devront emboîter le pas dans la nécessaire bataille de l'information qui doit être menée au Québec. À cet égard, ils ont très peu à perdre et tout à gagner. Ils devraient le comprendre au plus tôt.

D'ailleurs, il suffirait pour eux de regarder ce qui se passe dans les autres mouvements de libération ailleurs sur la planète pour qu'ils se rendent compte que les communications sont vitales dans toute lutte politique. Qui plus est, ils pourraient s'apercevoir que des mouvements de libération qui n'ont pas le poids du nombre du mouvement indépendantiste québécois réussissent à se doter d'outils de communication pour faire face à ceux de leurs ennemis. Entre autres, si les Basques réussissent à entretenir un quotidien de manière quasi clandestine et si les Corses parviennent à publier de nombreux hebdomadaires, comment se fait-il que les Québécois ne soient pas capables de mettre en place leurs propres organes de presse? Quelle aberration! Si la plupart des tendances marginales du spectre politique en Europe, de droite à gauche, sont conscientes de l'importance d'avoir des médias pour véhiculer leurs messages et qu'elles réussissent à les créer et à les faire fonctionner, pourquoi en serait-il autrement pour nous, au Québec, alors que le mouvement indépendantiste reçoit l'appui de millions de Québécois? Sans doute avons-nous encore une fois intériorisé la pensée colonialiste de nos ennemis à l'effet que nous serions incapables de telles choses... Désolant.

Il faut donc cesser de penser que nous gagnerons la bataille de l'indépendance dans la conjoncture médiatique actuelle sans d'abord gagner la bataille de l'information. Il importe alors de se pencher avec sérieux sur les solutions proposées en ces pages et prendre conscience qu'il faille dès maintenant combattre bec et ongles pour entamer le débat sur le contrôle fédéraliste de l'information au Québec. Ce débat nous interpelle tous et chacun doit y contribuer. Ainsi, au *Journal Le Québécois* et aux *Éditions du Québécois*, nous entendons continuer sans relâche à mener la lutte pour que le débat sur l'information se fasse, avec tous ceux qui veulent aussi que le débat sur l'avenir du Québec ait lieu dans un contexte pleinement démocratique qui permettra d'atteindre le but que se sont fixé tant de générations de Québécois : l'indépendance nationale!

Pierre-Luc Bégin
Dir. Éditions du Québécois

ANNEXES

Ces annexes présentent des textes, souvent inédits,
des artisans du Québécois *qui traitent, d'une façon ou*
d'une autre, du contrôle fédéraliste de l'information au
Québec. Il s'agit pour plusieurs d'entre eux de textes de
réplique à nos détracteurs que refusent de publier les médias
ayant véhiculé les attaques dont nous fûmes l'objet.

Texte du cinéaste Pierre Falardeau publié dans le Journal Le Québécois *en décembre 2005.*

Star Académie

À lire la page des lecteurs de *La Presse*, ce journal médiocre qui décerne pourtant chaque semaine des médailles d'excellence, on a l'impression que le Québec est un pays peuplé essentiellement d'attardés mentaux, de débiles légers, de trisomiques à batteries, de deux-de-pique dégénérés, d'andouilles diplômées ou de fédéralistes à la consanguinité douteuse. À lire les lettres choisies judicieusement par Pierre-Paul Gagné, le responsable du courrier, on dirait que ce journal est lu uniquement par des déficients mentaux, des crétins libéraux, des abrutis de droite et des canadiens d'expression francophone.

Jour après jour, on reste sans voix devant un tel concentré de bêtise et d'insignifiance. Puis on se dit qu'un tel étalage de mongoleries grattoniennes est virtuellement impossible. Les Québécois ne peuvent pas détenir à eux seuls le championnat mondial du crétinisme politique. Il doit y avoir un truc. C'est pas possible. Doit y avoir une ligne éditoriale, un système de contrôle, des règles de sélection. C'est comme rien, mais Monsieur Gagné doit faire un tri systématique. Il doit rejeter carrément certains textes, tellement le résultat global est nul.

En fait, pas si nulles que ça toutes ces lettres. Curieusement, pas beaucoup plus nulles que les éditoriaux ou les chroniques de la page d'à côté. Tout ça formant un tout idéologiquement assez compact. Comme si les uns avaient fini par déteindre sur les autres. Ou l'inverse.

Moi qui suis paranoïaque depuis l'histoire des commandites à Patrimoine Canada, j'en arrive même à soupçonner Pierre-Paul Gagné de les écrire lui-même ses lettres de tarés. Je crois même que les éditorialistes de la maison ne rechignent pas à mettre la main à la pâte : on reconnaît aisément, malgré des pseudonymes ridicules, le style « Team Canada en tournée de promotion dans les Rocheuses » si particulier aux stars de cette académie journalistique.

Prenez le petit Dubuc, par exemple. Il fallait le voir récemment décrire Yves Michaud comme un réactionnaire de la pire espèce! Il continue vraiment à se prendre pour un révolutionnaire cet arriviste. Maintenant, il défend la révolution du bon sens, la révolution du gros bon sens chère aux conservateurs à Mike Harris. Dénoncer la Réaction quand on est payé directement par *Power Corporation*, ça fait un peu stalinien pour un ancien trotskyste.

Il y a aussi toute la gang de petits nouveaux. Comme la célèbre nouille du *Atlantic Institute for Market Studies*, qu'on se demande bien à quoi il veut en venir Desmarais avec toute sa poutine « Canadian-all-the-way-coast-to-coast ». Comme l'autre *preacher* d'extrême-droite de Dallas ou de Houston, qu'on nous sert réchauffé, le dimanche matin, et qui fait dans l'américanisme primaire. Comme MacPherson, le blôke de service, qu'on s'en sacre comme de l'an quarante de ce qu'il peut penser avec son air constipé de journaliste à la « Gâzette ».

Comme vous le voyez, pour travailler à *La Presse*, on dirait qu'il faut absolument écrire comme un pied et surtout penser comme un pied. Penser avec ses deux pieds vous assure une place au sommet de l'échelle. Ainsi, on a recruté récemment à *La Presse* un Monsieur Laprès, sans jeu de mots. Pour l'instant, il préside un quelconque institut de quelque chose (c'est fou ce qu'on préside comme institut dans ce milieu). Autrefois, il écrivait, paraît-il, des discours pour un quelconque ministre libéral à Ottawa. On pouvait difficilement descendre plus bas. Le fond du baril, quoi! Le candidat idéal pour chroniquer en toute quiétude entre Mario Roy et André Pratte. Je me suis même laissé dire, mais cela sous toutes réserves, que Laprès avait été de gauche dans sa jeunesse, ce qui ne gâte rien dans ce métier. Comme quoi, au pays d'Elvis Gratton, la gauche mène à tout, surtout à la droite la plus pure et la plus dure. Attention à Mère Térésa David que *La Presse* va mettre de l'avant en long, en large et en travers. À qui profite le crime?

Parlant de pieds, Monsieur Laprès de *La Presse* devrait retourner à Ottawa le plus rapidement possible pour écrire les discours du Pettigrew des Classels, comme le surnomme Daniel Lemire. Ça urge! Il en aurait grandement besoin ce minuscule ministre libéral formé à la dure par le pontifical Claude Ryan. Dix ans après le référendum, il vient de comprendre, enfin, la question, l'hydrocéphale de la colline parlementaire. Cet abruti, même pas capable d'attacher ses souliers tout seul, vient de découvrir avec son collègue Lapierre que le Bloc défend l'indépendance du Québec. Méchante 20 watts! Et dire que cela est Ministre des Affaires Étrangères! On est bien représenté! « Pauvre Canada », comme disait la Vierge Marie dans sa grotte. « Pauvre Canada » en effet avec Paul Martin qui exige des excuses parce qu'on a osé associer le Parti Libéral au crime organisé. Il a bien raison le marin d'eau douce. Cette comparaison odieuse avec les libéraux canadiens, ce n'est pas très gentil pour le gros Gagliano et ses petits amis.

Mais le plus juteux reste sans doute le communiqué du Syndicat de l'information de *La Presse* publié comme par hasard dans *Le Devoir*. Pourquoi *Le Devoir*? Z'ont un malaise, ces pauvres choux de journalistes, parce qu'un de leurs boss, André Pratte, le pédicure en chef, devait prononcer, paraît-il, une conférence sur le nationalisme au congrès du Parti Libéral. Un malaise? Quel genre de malaise? Le mal de cœur? Le va-vite? Les hémorroïdes saignantes? Un malaise? C'est nouveau ça! Ça leur a pris du temps, les pauvres! Dans leur communiqué, ils reprochent à l'éminent podiatre de participer à un événement partisan et d'être le seul conférencier du congrès à ne pas avoir sa carte du Parti Libéral. Une révélation étonnante! Une bombe politique! Pourtant, à lire les éditoriaux de ce maître, tout le monde avait toujours eu l'impression qu'il était membre en règle du Parti au pouvoir, ce parti dirigé en sous-main à Québec comme à Ottawa par les *boys* du conseil d'administration de *Power*. On le fera sans doute bientôt membre d'honneur. À vie. Pour services rendus.

Et pendant ce temps-là, à leur congrès annuel, les professionnels de l'information discutent encore et toujours de *Star Académie*. Ça, c'est de la convergence. Et comme le dit si bien un jeune militant de St-Jean, Faucher qu'il s'appelle : « La prochaine fois… c'est maintenant ».

Pierre Falardeau

Texte de réplique du Québécois *jamais publié par* La Presse *(évidemment!). Octobre 2005.*

De la provocation

ou

Pourquoi *La Presse* a publié
le texte de Daniel Laprès

Non, mais, le *Journal Le Québécois* dérange vraiment les petits fédéralistes du Québec. Pas pour rien qu'ils se rabattent avec couardise sur leurs courroies de transmission médiatiques pour se défendre, à notre détriment. En plein cœur d'une tourmente affectant la populaire émission de télévision « Tout le monde en parle » à qui on reproche d'avoir fait elle-même l'actualité en diffusant les propos irresponsables du « Doc » Mailloux, *La Presse*, qui n'en manque pas une quand il s'agit d'étourderie, a publié ce samedi le compte rendu de lecture de Daniel Laprès qui portait sur un livre publié par les Éditions du Québécois (*Voler de ses propres ailes*) au début de l'année 2005! En termes de publication se rattachant à l'actualité du moment, on fait beaucoup mieux! En tout cas, au *Journal Le Québécois*, les nouvelles périmées qui sentent le poisson pourri, on s'en passe.

Fallait donc qu'il y ait urgence en la demeure pour que *La Presse* estime pertinent de publier le brûlot de Daniel Laprès, lui qui était jusqu'à 2004 à l'emploi de l'ex-ministre des Affaires étrangères, Bill Graham, et qui, dans ses fonctions d'attaché, aura coûté pas moins de 15 000 $ en frais de réunion de toutes sortes aux contribuables du Canada et du Québec en 2004 seulement. Probable que *La Presse* ne peut plus souffrir *Le Québécois*, lui qui s'évertue - et qui y parvient à fréquence régulière - à déculotter tout ce que compte de fédéralistes le Québec. Ou à moins que *La Presse* n'ait eu vent des attaques frontales que prépare *Le Québécois* contre ce journal dans les prochaines semaines. Si cela devait être, chers scribouilleurs gescaiens, sachez que vous ne nous ralentirez en rien, avec un papier aussi démagogique que celui de Laprès, dans l'offensive qu'on vous réserve, chaleureusement, soyez-en assurés.

Mais parlons-en justement du papier de Laprès qui sent le cité-librisme à plein nez. Le petit porte-serviette de ministre aimerait nous faire croire qu'il est un grand intellectuel. Pas pour rien qu'il nous cite savamment la prose de Voltaire alors qu'il en appelait à la liberté d'expression. Pour Laprès, *Le Québécois*, par ses agissements et ses attitudes, violerait le principe même de la liberté d'expression, et ce, parce qu'il s'en prend férocement à ceux qu'il considère ses « ennemis ». La violence de nos attaques aurait même pour effet de contribuer au mutisme des forces fédéralistes. D'une part, on ne se savait pas si puissant! Et d'autre part, si les fédéralistes se taisent par les temps qui courent, c'est tout simplement parce qu'ils sentent la corruption à plein nez. Ils en sont presque réduits à sortir avec un sac de papier brun sur la tête!

Par sa sortie, il faut bien comprendre que le petit Laprès en appelle à rien de moins qu'à la censure du *Québécois* et des livres que son partenaire privilégié, les *Éditions du Québécois*, publie. Non, mais faut vraiment être fédéraliste pour parvenir à se contredire dans le même paragraphe. « La peste qui tue l'esprit démocratique », ce n'est en rien *Le Québécois*, mais c'est exclusivement les médias fédéralistes du Québec qui entretiennent de bon aloi un perfide déséquilibre dans leur contenu entre les propos fédéralistes et indépendantistes. Et ça dure depuis des décennies maintenant.

Non content de profiter du contrôle de l'information exercé par les forces fédéralistes, Daniel Laprès s'insurge parce qu'un journal indépendantiste sort la tête de l'eau et crie à la face des gens sa soif de liberté. Pour les Laprès de ce monde, un modeste journal alternatif tel que *Le Québécois*, c'est déjà trop. Impératif il est pour lui de revenir au *statu quo ante*, c'est-à-dire à une époque où les indépendantistes ne pouvaient qu'espérer que *Gesca* ne finisse par les publier pour être entendus. À cela, nous disons non avec énergie. Nous leur renvoyons leur Non, merci! de 1980 au visage. Jamais les censeurs du type Laprès ne parviendront à nous faire taire. Nous, du *Québécois*, avons des choses à dire. Et nombreux sont ceux qui veulent nous entendre.

Dans son papier, Daniel Laprès s'en prend au *Québécois* suivant une stratégie usée à la corde. Pour nous faire passer pour des ayatollahs, des guérilleros de l'indépendance, des *Quebec's watch dogs* ou des « Gardes bleus », il sort de son contexte des propos sortis le plus souvent de la plume de notre chroniqueur Pierre Falardeau. Non, mais, ça vous dérange ou quoi les libres penseurs!?! Falardeau, dans son style qui lui est propre, défend le Québec bec et ongles. À cela, nous disons bravo avec vigueur! Jamais, il n'a fait d'appel à la violence. Tout comme *Le Québécois* d'ailleurs. Mais la démagogie qui n'a de cesse de dégouliner de votre bouche immonde aimerait bien que les gens croient qu'il en soit ainsi. Comme vous aimeriez bien, à l'instar de Dany Laferrière, que *Le Québécois* passe pour un journal raciste parce qu'il a osé -ô crime abjecte- s'en prendre à une traîtresse de première qui ne reconnaît même pas l'existence du peuple québécois, et nous avons nommé la pitoyable Michaëlle Jean! Oh!

Pardon! Nous ne pouvons pas employer le mot traître, n'est-ce pas? C'est en tout cas ce que vous nous sommez de cesser de faire! Comme si la trahison ne faisait pas partie de notre réalité politique!

Autre tactique à laquelle ont recours abondamment les fédéralistes lorsqu'ils s'en prennent au *Québécois*, c'est celle qui consiste à mouiller au passage les chefs du mouvement indépendantiste. Dans sa combien ô malhonnête critique du livre *Voler de ses propres ailes*, Laprès affirme qu'il est révoltant de voir Bernard Landry ou Jacques Parizeau s'associer à pareille entreprise « haineuse ». Si ces deux grands Québécois l'ont fait, cher Laprès, c'est tout simplement parce qu'une fois que les propos que vous avez sciemment retirés de leur contexte, pour les rendre ainsi affolants, sont replacés dans les textes d'où ils proviennent, ils deviennent du fait même tout à fait acceptables. Tout comme l'est *Le Québécois*, ne vous en déplaise, à vous et à tous les ennemis de la liberté fabriquée rudement au Québec.

Mais nous comprenons très bien votre conception toute canadienne de la démocratie. Ainsi, selon vous, il faudrait faire taire Pierre Falardeau et lui enlever sa liberté d'expression, jeter au fleuve les presses du *Québécois* et organiser un autodafé avec les copies restantes… Et ce serait nous qui serions antidémocratiques! Une insulte à l'intelligence!

Et vive la « démocratie » commanditée des enveloppes brunes passées sous la table de Monsieur Laprès et ses ministres fédéraux!

Pierre-Luc Bégin
Dir. Éditions du Québécois

Patrick Bourgeois
Dir. Journal Le Québécois

Texte de l'écrivain René Boulanger, chroniqueur au Journal Le Québécois, *paru dans le* Québécois *en 2003.*

Émoi chez les journalistes

La sortie du film *À hauteur d'homme* de Jean-Claude Labrecque a provoqué une vague d'autojustification dans le monde journalistique qui ressemble au déni de l'alcoolique vis-à-vis sa maladie. Se retranchant derrière les pseudo-nécessités du métier, André Pratte et Lysiane Gagnon de *La Presse*, de même que Kathleen Lévesque du *Devoir*, décrivent comme normale la pratique journalistique entourant la campagne de Bernard Landry aux dernières élections. Ses colères et ses angoisses feraient partie du personnage et si le film bouscule à ce point, tant pis, c'est ça le métier!

Le problème c'est que justement, ce n'est pas ça le métier. Le point de vue fédéraliste a gagné tellement de terrain depuis 1995 qu'un journaliste qui prétend à la neutralité ne se rend même pas compte souvent qu'il campe tout entier dans le cloaque fédéraliste. Kathleen Lévesque, pour défendre la pratique des confrères, s'appuie sur une entrevue avec Michel Roy, ancien conseiller du Parti conservateur qui décontextualise le débat en évacuant toute la question du contrôle des médias.

André Pratte défend le droit à l'information sans remettre en cause la politique éditoriale de *La Presse* qui exige l'adhésion inconditionnelle à l'ordre *canadian*. Tout ce petit monde se protège et dégouline de complaisance lorsque le film évoque les quelques jobs sales qui ont été commises par le service des nouvelles de *Radio-Canada*.

Je cherche encore le journaliste d'un de nos grands quotidiens qui ait osé dénoncer la petite campagne personnelle de Michel Morin pour le compte de Jean Charest. Comment se fait-il qu'au milieu de la campagne, alors que la question n'avait jamais soulevé de problème, le dossier Alcoa surgisse comme un exemple supposé de bêtise humaine et d'irresponsabilité. Des emplois à 500 000$ crache Michel Morin, des subventions jamais vues auparavant! Le montage nous montre un fonctionnaire d'Hydro qui bafouille une réponse, comme si la décision avait été imposée d'en haut. L'explication réelle, savante, mûrie après des années d'étude, on ne la saura jamais. Pour se faire une idée de la chose, on a droit à un commentaire de Marcel Côté de Secor, qui concluera: « On n'a jamais vu ça! ». Méchant spécialiste! Marcel Côté, un des bonzes attitrés du Parti libéral, le ramasseur de piastres officiel du régime fédéraliste, qui devient soudain la conscience citoyenne, la voix des pauvres? C'est tellement gros que ça ne dépasse pas de la jupe, ça éclate comme la chemise de Hulk!

Comme par hasard, le point de presse de Jean Charest reprend les reportages de Michel Morin pendant trois jours. Une valse à deux, une partie de ping-pong, l'image véritable c'est l'orchestration parfaite, un concert à deux voix. Ça ressemble à une commande, en fait! Une job sale mais bien faite et qui passe comme dans du beurre parce que le reste de la communauté journalistique a décidé de se fermer la gueule, soit par complicité tacite ou active, soit par insignifiance totale, soit par lâcheté.

D'un point de vue indépendantiste, ça me désespère mais ça ne me surprend pas qu'un traitement partisan soit exigé des patrons fédéralistes. Mais ce qui est débile, c'est que ce point de vue soit présenté comme la position neutre par tous les André Pratte de la terre. Mercenaires engagés pour tuer le mouvement indépendantiste, nos journalistes de la grosse *Presse* devraient avoir la décence d'avouer leurs buts au lieu de se retrancher derrière l'innocence et la vertu. C'est un masque qui ne peut couvrir leurs défauts, ils sont si gros!

Du reste, la neutralité qu'ils exigent des autres en la transgressant eux-mêmes, ce n'est pas une qualité non plus. Les grands journalistes ont toujours appartenu à une cause. Olivar Asselin et René Lévesque campaient au milieu du peuple, épousaient ses espoirs. Un des plus grands journalistes de notre époque, l'Australien Wilfred Burchett, avait pris parti pour le Vietcong lors de la guerre du Vietnam. Résultat, c'est lui qui fut chargé par la Maison-Blanche d'établir les premiers contacts avec le Nord-Vietnam en vue des négociations de paix. Son parti pris en faveur de la résistance ne lui a pas retiré une once de crédibilité en tant que journaliste.

Dans une bataille pour l'indépendance, le devoir d'un journaliste c'est de s'associer au destin de son peuple, tout en respectant l'éthique définie par la profession. C'est le contraire que font *La Presse* et *Radio-Canada*, ils tuent le rêve populaire tout en manipulant sans riposte l'information la plus cruciale au moment le plus crucial. Les exemples ne manquent pas mais l'affaire Michel Morin est assez grave pour discréditer dans toute sa suffisance le monde journalistique québécois, complice par narcose du pouvoir *canadian*.

Quelle pitié! Comment en est-on arrivé là? Suffit de penser au rôle de la télévision lituanienne pendant la bataille de l'indépendance. Même son encerclement par les tanks soviétiques n'a pas réussi à briser l'élan de liberté qui inondait la petite nation balte à travers les mots et les images de la télé de Vilniu. Même caractère populaire lorsque la télévision roumaine a sonné le glas du régime de Ceausescu. Le pouvoir sait que l'information est une arme. C'est bien pour ça que le clan Desmarais n'a jamais consenti à se départir de *La Presse*. Et *Radio-Canada* porte bien son nom. Et maintenant si André Pratte proclame l'innocence journalistique au Québec, c'est qu'il est en effet bien innocent. Mais gageons sans nous tromper qu'il est tout le contraire! Un superbe visage à deux faces!

René Boulanger

Réplique à Didier Fessou, du Soleil, *jamais publiée (encore!). Automne 2005.*

Gesca strikes again !

Tout l'art de la guerre est fondé sur la duperie.
- Sun Tzu

« L'ennui, avec Patrick Bourgeois, c'est qu'il parle souvent à travers son chapeau », voilà l'argument massue du journaleux à gages du *Soleil*, Didier Fessou, pour démolir un an de travail et d'analyses rigoureuses que j'ai menées pour pondre le livre *Nos ennemis, les médias. Petit guide pour comprendre la désinformation canadienne.* Un an qui m'a amené à relire tous les articles publiés dans cinq quotidiens du 1er octobre au 30 octobre 1995, rien de moins. L'ennui avec Fessou et ses collègues (parce qu'eux aussi sont ennuyeux, croyez-moi), c'est qu'ils se vautrent dans la malhonnêteté intellectuelle comme des porcelets dans la fange et qu'ils se dissimulent dans une « tour d'ivoire » pour cracher leur vile démagogie sur la tête des défenseurs du mouvement indépendantiste, en violant impunément le droit de réplique de tout un chacun. Jamais ils n'osent remettre honnêtement en question de telles pratiques et lorsqu'on les y pousse, croyez-moi, on passe un mauvais quart d'heure! Un quart d'heure rempli de démagogie, d'incompétence et de malhonnêteté journalistique, quart d'heure qui se transforme bien souvent en demi-heure, en heure, en semaine et finalement, en quarante ans. Car, voilà bien quarante ans que ça dure cette désinformation malhonnête qui devra bien prendre fin un jour ou l'autre. Et *Gesca*, à chaque jour qui passe, fait un peu plus la preuve qu'elle porte fièrement l'étendard de cette révoltante pratique!

Pour démontrer hors de tout doute que ma thèse est erronée - thèse qui est à l'effet que le traitement médiatique de la campagne référendaire de 1995 a été à l'avantage du Non -, Fessou soutient que le simple fait qu'il parle de mon livre dans son honorable journal est la preuve irréfutable que le mouvement indépendantiste est bien couvert par les médias d'ici. Hein!?! Que de sophisme!

Tout d'abord, il faut bien comprendre que je soutiens dans mon livre qu'il n'est nullement question d'une évacuation pure et simple des idées indépendantistes dans les médias québécois. Le Québec, ce n'est tout de même pas une république soviétique. Tout ce que je défends, c'est que les médias du Québec entretiennent un important déséquilibre en ce qui concerne la place qu'ils accordent aux idées des camps indépendantiste et fédéraliste, et ce, de façon à favoriser la pérennité de l'unité canadienne. Comment le renier tout de go, sans réfléchir, comme le fait Fessou, alors que du même souffle celui-ci admet qu'on a au Québec un important problème avec la concentration de la presse et que ce phénomène accorde une importance surréaliste à *Power Corporation*, groupe qui s'est depuis longtemps confié la mission de casser du séparatiste!?! Dans de telles circonstances, parler de déséquilibre à l'avantage du camp fédéraliste comme je le fais devient logique, voire l'expression d'une évidence! Mais nul n'est plus aveugle que celui qui ne veut voir, ou qui est grassement payé pour demeurer aveugle…

Ce que nous affirmons aussi, c'est que lorsque les indépendantistes se décident à confronter leurs adversaires – comme nous le faisons dans ce livre – il n'arrive jamais que les médias couvrent ces événements autrement que très négativement (comme le fait Fessou aujourd'hui) de façon à démontrer que ceux qui s'y risquent ne sont qu'autant de « fous furieux », d' « ayatollahs » de « terroristes intellectuels », de « guérilleros de l'indépendance », de « faiseux de feuille de chou », d'adeptes de l' « ânerie », ou encore, cette nouvelle étiquette que me colle cette fois Fessou à la peau: de « pit » amoureux du sirop d'érable. Disons que le simple fait que Fessou daigne dénoncer mon « méchant brûlot » dans sa chronique n'est en rien une garantie que le public en sorte au bout du compte mieux informé sur la réalité médiatique d'ici. C'est plutôt dans l'antithèse qu'il faut rechercher la vérité. Mais cela, Fessou ne semble pas l'avoir compris. Il préfère alimenter comme pas un la bête « désinformante » qu'est *Gesca* en fuyant avec beaucoup de couardise le débat honnête que je tente de lancer en publiant ce livre. Et après ça, il ose dire qu'il contribue, via sa chronique d'aujourd'hui, au rayonnement des idées indépendantistes! C'est renversant à quel point une telle analyse est idiote!

Pour bien river mon clou, Fessou invente toutes sortes de trucs plus fallacieux les uns que les autres. Comme ce passage où il affirme que je n'ai en rien usé de méthodes quantitatives pour arriver aux résultats que je présente dans mon livre. Faux ! Ce que j'explique (et c'est écrit noir sur blanc aux pages 17 et 18), c'est que j'ai croisé des méthodes et qualitatives <u>ET</u> quantitatives pour mener à bon port mon étude. Mais au lieu de préciser ce fait, Fessou aime mieux se confiner à l'anathème concernant la méthodologie que j'ai retenue, de façon à passer rapidement à autre chose. Et cette autre chose consiste pour lui à railler les « intellos » qui me servent de références pour expliquer que les médias ont un impact non négligeable sur l'opinion publi-que. Rien de moins… Mais il est vrai, après tout, que de petits « façonneux » d'idées de la trempe de Noam Chomsky, Jacques Ellul, Vladimir Volkoff ou Pierre Bourdieu ne sont rien à côté d'un grand journaliste comme Fessou! À l'évidence, le petit personnage à la science infuse et au stylo pointu nous propose de le croire lui, et personne d'autre. Pas même les plus brillants de ce monde... À la place de Fessou, je serais rouge de honte d'avoir publié une telle chronique. J'en serais presque aussi honteux que peut l'être la sœur de Michaëlle Jean parce que la GG a cru bon « faire la folle » au dîner de la presse...

La malhonnêteté intellectuelle de Fessou l'amène aussi à dissimuler certains faits. Dans sa chronique vaseuse d'aujourd'hui, Fessou rappelle que l'an dernier, lui, le scribouilleur bien caché dans le fin fond de son bureau de la tour du *Soleil*, il a su faire preuve de grand « courage » en plantant comme pas un « le bouffon Falardeau », lui qui n'a comme seule tribune pour se défendre que l'alternatif journal *Le Québécois*. Non, mais c'est dangereux les séparatistes, faut quand même faire attention, pas vrai Didier!?! Faut être bien courageux pour salir leur réputation dans un journal qui tire quotidiennement à presque 100 000 exemplaires, alors qu'on sait pertinemment que le camp adverse n'a rien pour répliquer ! S'il demeurait la moindre parcelle d'honnêteté dans l'esprit de Fessou, celui-ci aurait profité de l'occasion pour présenter ses excuses à Falardeau et aux *Éditions du Québécois*. Pourquoi? Parce que cet incompétent de première, dans l'acerbe critique qu'il nous a servie l'an dernier, nous accusait d'avoir laissé passer une faute d'orthographe dans le livre *Québec libre! Entretiens politiques avec Pierre Falardeau*. Après vérifications de notre part, il s'est avéré que le ti-monsieur n'était même pas foutu de comprendre une simple règle de grammaire avant de dénoncer un patriote pour crime « d'incompétence linguistique ». Serez-vous étonnés d'apprendre que *Le Soleil* n'a jamais jugé bon laver notre réputation en ne publiant ne serait-ce qu'un *erratum*? Diantre, les médias publient régulièrement des *errata* à cause des erreurs qui se glissent dans les circulaires qu'ils répandent un peu partout au Québec! Mais pour les vilains séparatistes, *nenni*! Leur réputation, après tout, on s'en fout! Comme des « autres » d'ailleurs…

La malhonnêteté intellectuelle de Fessou l'amène également à me mettre des propos dans la bouche que je n'ai jamais tenus. Faudrait vraiment qu'il m'explique la pertinence des guillemets qu'il place pour bien enserrer l'expression « la petite reine **noire** de *Radio-Canada* »! À quoi ça rime? Était-ce vraiment nécessaire de les utiliser pour expliquer que je suis à l'origine du scandale appelé Michaëlle Jean alors que je n'ai jamais utilisé une telle formule pour parler de *m'dame* Jean? Je vais vous le dire, moi, à quoi ça rime ce détail qui n'en est pas un. Les guillemets ont servi à Fessou à laisser planer le doute dans l'esprit des lecteurs que j'aie pu m'attaquer à

Michaëlle Jean à cause de ses origines raciales! Et après ça, il ose dire, cet énergumène, que j'invente des trucs lorsque je traite de désinformation.

Par ses écrits malhonnêtes d'aujourd'hui, Fessou ne fait rien d'autre que d'étayer mes dires… Plus pathétique qu'un tel type, on ne fait pas !

***

Maintenant, les paris sont ouverts! Est-ce que ma réplique à Fessou sera publiée dans *Le Soleil*, ou est-ce que les artisans gescaïens préféreront agir comme d'habitude, c'est-à-dire salir d'honnêtes citoyens dans leurs pages sans leur accorder le moindre droit de se défendre dans les mêmes pages? N'oublions pas que dans tout régime judiciaire qui se respecte, les accusés ont au moins le droit de se faire entendre…

Des médias de républiques de bananes, voilà ce qui prétend nous informer au Québec!

Patrick Bourgeois
Auteur de *Nos ennemis, les médias. Petit guide pour comprendre la désinformation canadienne.*

Il n'y a plus lieu de s'inquiéter : En privé, les journalistes sont majoritairement souverainistes!?!

Voilà, c'est fait, un deuxième journaliste en un mois s'est commis et parle de la stratégie de dénonciation des médias jugés comme fédéralistes par l'équipe du journal *Le Québécois*. Après Didier Fessou du *Soleil* qui s'était bien marré à nos dépens en arguant qu'on était autant de « cocoricos » sombrant dangereusement dans la paranoïa en prétendant que les médias du Québec alimentent sciemment un déséquilibre dans le traitement de l'information, déséquilibre qui favorise les forces fédéralistes avons-nous besoin de le répéter, voilà que c'est au tour de Jean-Marc Beaudoin, du *Nouvelliste*, de dire quelque chose à notre sujet. Quelque chose à défaut d'analyser vraiment nos assertions, il faut bien le dire.

Pour défendre son patron et l'entreprise qui met du pain sur sa table, M. Beaudoin affirme que notre manifeste ainsi que la pléthore d'intellectuels de premier plan qui le signent ne véhiculent que des faussetés puisque bon nombre des collègues de M. Beaudoin seraient souverainistes. Probable même qu'ils sont majoritaires dans les médias d'ici! Imaginez! Ce n'est pas rien quand même... Une majorité de journalistes seraient souverainistes chez *Gesca*... Que répondre à ça? Non, mais sérieusement, nous en sommes bouche bée. Tout le travail effectué pendant un an pour produire le livre *Nos ennemis, les médias* l'a été pour strictement rien, nous devons maintenant l'admettre. Nous aurions dû tout simplement appeler M. Beaudoin au lieu de relire les milliers d'articles publiés dans les quotidiens du Québec lors de la campagne référendaire de 1995. Nous aurions pu aussi appeler André Pratte, lui qui nous a déjà dit que nous n'étions que des menteurs lorsque nous prétendions que le mouvement indépendantiste était lésé par *La Presse*. Eux, les tenants de la vérité absolue, ils auraient alors pu nous dire que nous étions dans le champ avec notre projet de livre. Combien nous aurions sauvé d'énergie si nous avions pris la simple précaution d'appeler un « sage » de *Gesca* avant de nous lancer dans pareille entreprise! Après tout, on peut leur faire confiance à ces journalistes à la sauce Beaudoin. Ils connaissent beaucoup mieux que nous *La Presse* ou *Le Nouvelliste* puisqu'ils y travaillent. C'est l'évidence même. Alors qu'avons-nous à gueuler comme des putois, nous les indépendantistes qui dénonçons les médias depuis des décennies ? Tous des fous, serions-nous tous des fous ?

Nous en doutons fort. Et ce qui nous amène à le nier, c'est que M. Beaudoin, pour dissimuler l'emprise fédéraliste sur l'information (et en cela, il est tout à fait représentatif de ce qui se fait traditionnellement comme travail chez *Gesca* à l'égard du mouvement indépendantiste), déforme les propos du *Québécois* et des cosignataires de notre manifeste qu'on retrouve sur le forum du *Québécois* (www.lequebecois.org) pour parvenir à ses fins. Il les déforme comment? Tout simplement en évitant le cœur du problème, en portant son attention sur l'allégeance politique de ses collègues au lieu de regarder ce qu'ils produisent comme articles, à défaut de pouvoir dire littérature. Faut vraiment être malhonnête pour nier qu'aucun article, aucune chronique, n'est à peu près jamais publié chez *Gesca* pour défendre les positions indépendantistes! André Pratte aurait beau être un ayatollah-terroriste-puretduriste-séparatiste dans son salon, le simple fait qu'il n'écrive qu'en faveur de l'unité canadienne ne change rien au fait que le mouvement indépendantiste s'en trouve quand même desservi au bout du compte. Et cela, M. Beaudoin le sait pertinemment. Ce n'est pas pour rien qu'il a préféré parler des opinions politiques que ses collègues exprimeraient dans leur intimité au lieu de mettre l'accent sur leur travail. M. Beaudoin aurait pu tout aussi bien dire que le très israélien *Haaretz Daily* est en faveur de l'indépendance de la Palestine, de la libération des territoires occupés et de la destruction du mur en Cisjordanie, puisque en privé telles sont les opinions que défendent les journalistes de ce journal, que cela n'aurait pas été plus ridicule!

Tout aussi malhonnête est de dire que l'ex-député bloquiste Yves Rocheleau a toujours été bien traité par les médias du Québec. Pour le prouver, on pourrait rappeler que le chroniqueur Jean-Marc Beaudoin (oui, oui, celui-là même qui dit que M. Rocheleau a toujours bien été traité par des journalistes qui sont majoritairement souverainistes, paraît-il), pour souligner la retraite politique de M. Rocheleau, n'a rien trouvé de mieux à écrire que le passage suivant : « il ne sera pas le premier nationaliste dont l'appel à la *race* se sera perdu dans la cacophonie parlementaire. Il pourra toujours écouter un vieux disque où on parle d'un certain pays qu'on appelle le Québec ». Et que dire des commentaires qui furent formulés à l'égard de M. Rocheleau dans les médias quand il avait dit qu'il n'était pas canadien ou lorsqu'il avait affirmé endosser (sur le fond) le discours articulé par Pierre Falardeau à l'égard de l'héritage laissé par Claude Ryan?

***

Deux chroniques malhonnêtes en un mois! C'est énorme quand on y pense deux minutes. C'est vraiment énorme que, pour parvenir à forcer deux éminents professionnels de l'information à se pencher un tant soit peu sur une critique qui concerne le phénomène de la concentration de la presse et les avantages qu'il procure au camp fédéraliste, nous ayons dû analyser la question pendant un an, publier un livre, donner plusieurs conférences sur le sujet, produire un manifeste, le faire signer par près de 25 Québécois qui font figure de sommités dans leurs sphères d'activité respectives, organiser une conférence de presse (ou seul un journaliste du *Journal de Montréal* est venu, mais sans publier quoi que ce soit sur le sujet), diffuser notre manifeste dans notre liste de diffusion qui compte plusieurs milliers d'adresses (dont celles de la plupart des journalistes du Québec), pour finir par acheter (oui, oui, vous avez bien lu) un espace publicitaire dans un quotidien pour forcer les médias à mettre en contact leur clientèle avec nos propos. Cette publicité paraîtra dans un quotidien dans les prochains jours.

Quand on y pense vraiment, deux minutes, ou cinq minutes, ou un mois, on en arrive toujours aux mêmes conclusions : une telle situation est carrément scandaleuse et elle donne la nausée!

Pierre-Luc Bégin
Dir. Éditions du Québécois

Patrick Bourgeois
Dir. Journal Le Québécois

Réplique à un quelconque individu que La Presse, *après avoir recruté Daniel Laprès, a cru bon aller chercher en renfort. Un ami de l'autre d'ailleurs (c'est lui qui le dit). Discutez entre amis, c'est tellement plus agréable. Jamais publiée! Automne 2005.*

Exit la soumission et le silence

Encore une fois, ce samedi 12 novembre 2005, le journal *La Presse* publie dans sa section Forum un texte intitulé « Exit le souverainisme adolescent » dans lequel l'auteur, un certain Mathieu Laberge, s'en prend aux *Éditions du Québécois* et à ses artisans.

La teneur de la charge? Une liste d'insultes. Rien de très nouveau. Ainsi, les indépendantistes des *Éditions du Québécois* seraient de méchants « purs et durs », des « ayatollahs », des « terroristes intellectuels », des « ceintures fléchées »… Une petite canisse de sirop d'érable avec ça? Ridicule et dépassé. À défaut d'y aller d'un coup de gueule intelligent, nous souhaiterions parfois que nos ennemis soient au moins originaux dans l'insulte et cessent de sortir les mêmes qualificatifs maintes fois entendus pour, sans doute, tenter de faire croire que nous sommes des mangeurs de petits Anglais crus. Assez adolescent merci comme argumentation…

Or, ce monsieur Laberge a l'audace de prétendre que le Parti Québécois serait complaisant à l'égard des méchants purzédurs des *Éditions du Québécois*. Si Laberge ouvrait les yeux, il pourrait plutôt constater que l'*establishment* du Parti Québécois a plus souvent qu'il n'était nécessaire condamné les militants des *Éditions* qui osaient dire des vérités qu'il faut cacher. Ce fut plus d'une fois un concours à savoir quel député se dissocierait le plus vite de ces effroyables purzédurs, le doigt sur la couture du pantalon comme dirait notre camarade Pierre Falardeau. Les affaires Claude Ryan et Michaëlle Jean en furent de pathétiques exemples.

Et ces gens-là seraient complaisants envers nous? Je serais curieux de savoir ce que ce serait si ce n'était pas le cas! Oui, mais certains députés achètent de la publicité dans le journal *Le Québécois*!, rétorquerait l'autre. Sachez donc que *Le Québécois* bénéficie d'un ridicule appui publicitaire de la part de nos partis politiques et que, de toute façon, cela ne les engage pas quant aux propos contenus dans le journal. Ils achètent bien davantage de publicité dans les hebdos de *Transcontinental* sans cautionner le fédéralisme « pur et dur » de Monsieur Paul… Si c'est tout ce que vous avez comme argument pour tenter de diviser le mouvement indépendantiste, taisez-vous donc.

Or, pour Laberge, il faut régler ce problème des purzédurs dans le mouvement indépendantiste au plus vite, sans dentelle. Sa solution? La purge stalinienne. « Le prochain chef péquiste devra mettre au pas les éléments les plus radicaux de son parti », dit-il, ce grand démocrate. Rien de moins. Non mais, tant qu'à y être, poursuivez et allez au fond de votre pensée. Pourquoi ne pas enlever la parole dans les congrès du PQ aux militants jugés trop radicaux? On pourrait utiliser un questionnaire à transmettre aux délégués et ainsi tenter de déceler l'infâme fibre purzéduriste qui peut se cacher chez certains éléments péquistes. Notamment, un bon test serait de bannir des congrès les péquistes qui sont abonnés au journal *Le Québécois*. Et ceux abonnés à *La Presse* pourraient prendre ce droit de vote supplémentaire. Enfin, le Parti serait nettoyé des purzédurs! La démocratie pourrait s'exercer!

Et dire que nous serions sans doute condamnés à l'exil par ce Laberge si nous osions dire que « le prochain chef péquiste devra mettre au pas les éléments les plus fédéralisants de son parti ».

Vous voulez faire taire les indépendantistes les plus convaincus? C'est cela votre conception de la démocratie? Sachez que nous n'accepterons jamais ni la soumission ni le silence. Quant aux insultes, si elles amusent l'adolescent politique que vous êtes, continuez donc. Nous subissons l'insulte depuis 240 ans, ce ne sont pas celles proférées pas un illustre inconnu qui nous réduiront au silence.

Pierre-Luc Bégin
Dir. Éditions du Québécois

BIBLIOGRAPHIE

La bibliographie qui suit présente des suggestions de lecture incontournables pour qui veut comprendre le rôle et l'impact politique des médias.

Quelques suggestions de lecture

BRETON, Philippe. *La parole manipulée*. Paris, La Découverte, 1997.

CHOMSKY, Noam. *La fabrique de l'opinion publique : la politique économique des médias américains : essai*. Paris, Serpent à plumes, 2003.

CHOMSKY, Noam. *Propaganda*. Paris, Danger Public, 2002.

CHOMSKY, Noam et Robert W. McChesney. *Propagande, médias et démocratie*. Montréal, Écoso-ciété, 2000. Traduit de l'anglais par Liria Arcal.

DE SELYS, Gérard dir. *Dossier Médiamensonges*. Paris, EPO dossier, 1990.

DOMENACH, Jean-Marie. *La propagande politique*. Paris, Presses universitaires de France, « Que sais-je ? », 1ère édition 1959, n.448.

DURANDIN, Guy. *L'information, la désinformation et la réalité*. Paris, Presses universitaires de France, 1993.

ELLUL, Jacques. *Propagandes*. Paris, Économica, 1990.

LECLERC, Aurélien. *L'entreprise de presse et le journaliste*. Sillery, Presses de L'Université du Québec, 1991.

LEVASSEUR, Jean. *Anatomie d'un référendum (1995). Le syndrome d'une désinformation médiatique et politique*. Montréal, XYZ, 2000.

MAMOU, Yves. *Essai sur la fabrication de l'information*. Paris, Payot, 1991.

MONIÈRE, Denis et Jean Herman Guay. *La bataille du Québec*. Montréal, Fides, 1996.

MUCCHIELLI, Roger. *Subversion*. Paris, Bordas, 1972.

RIEFFEL, Rémy. *Sociologie des médias*. Paris, Ellipses, 2001.

TCHAKHOTINE, Serge. *Le viol des foules par la propagande politique*. Paris, Gallimard, 1952.

TRUDEL, Lina. *La population face aux médias*. Montréal, VLB, 1992.

TRINQUET, Daniel. *Une presse sous influence.* Paris, Albin-Michel, 1992.

VOLKOFF, Vladimir. *La désinformation, arme de guerre.* Paris et Lausanne, Julliard et l'Âge d'homme, 1986.

VOLKOFF, Vladimir. *Petite histoire de la désinformation.* Paris, Éditions du Rocher, 1999.

TABLE DES MATIÈRES

QUELQUES AUTRES OUVRAGES DES
ÉDITIONS DU QUÉBÉCOIS

OUI!, je veux recevoir _____ exemplaire(s) du livre *Québec libre!*
Entretiens politiques avec Pierre Falardeau au prix de 24,95$ chacun (+
4,55$ frais postaux).

Total de la commande : _____$

Nom : _____

Prénom : _____

Adresse : _____

_____

Ville : _____

Code postal : _____

Tél.: (   )_____Courriel : _____

Retournez votre chèque au nom des Éditions du Québécois à :

Éditions du Québécois
2572, Desandrouins,
Québec, Québec
G1V 1B3

Pour information : (418) 661-0305 ou www.lequebecois.org

Fruit de 24 heures d'entretiens avec notre cinéaste national, Falardeau livre dans
ce bouquin le fond de sa pensée sur tous les sujets marquants qui balisent l'histoire
récente du Québec et d'ailleurs: la Crise d'Octobre, le 11 septembre 2001, le fémi-
nisme, le conflit israélo-palestinien, la question amérindienne, l'art engagé, la lutte
des Noirs américains, la mondialisation, le plan B fédéral, etc. Préface de Julien
Poulin. Postface de Francis Simard. Huit pages de photos. Textes de Falardeau en
annexes.

OUI!, je veux recevoir _____ exemplaire(s) du recueil
VOLER DE SES PROPRES AILES au prix de 19,95$ chacun
(+ 4,55$ frais postaux).

Total de la commande :_____$

Nom : _____

Prénom : _____

Adresse : _____

_____

Ville : _____

Code postal : _____

Tél.: (   )_____Courriel : _____

Retournez votre chèque libellé au nom des Éditions du Québécois à
l'adresse suivante :

Éditions du Québécois
2572, Desandrouins,
Québec, Québec
G1V 1B3

Pour information : (418) 661-0305
www.lequebecois.org

Le recueil Voler de ses propres ailes *regroupe les textes les plus significatifs tirés du journal Le Québecois 2003-2004, dont les textes exclusifs de Yves Beauchemin, Jacques Parizeau, Josée Legault, Pierre Falardeau, René Boulanger, Jean-Marc Léger et plusieurs autres...*

OUI!, je veux recevoir _____ exemplaire(s) du livre *Nos ennemis, les médias. Petit guide pour comprendre la désinformation canadienne* au prix de 24,95$ chacun (+ 4,55$ frais postaux).

Total de la commande : _____$

Nom : _____

Prénom : _____

Adresse : _____

_____

Ville : _____

Code postal : _____

Tél.: (_____)_____Courriel : _____

Retournez votre chèque libellé au nom des Éditions du Québécois à l'adresse suivante :

Éditions du Québécois
2572, Desandrouins,
Québec, Québec
G1V 1B3

Pour information : (418) 661-0305 ou www.lequebecois.org

Ce livre est le résultat d'une recherche rigoureuse de l'auteur Patrick Bourgeois quant à la couverture médiatique du camp du OUI lors du référendum de 1995 dans les principaux quotidiens francophones du Québec. L'auteur démontre dans cet ouvrage à quel point les médias au Québec constituent autant de courroies de transmission pour les fédéralistes et favorisent ainsi indûment la victoire de ces derniers. Un incontournable pour comprendre le rôle des médias québécois, acteurs de la désinformation canadienne. Préface par Yves Michaud. Textes en annexes de Claude Jasmin, Pierre Falardeau, Gérald Larose et bien d'autres, censurés par les médias fédéralistes.

JOURNAL LE QUÉBÉCOIS

OUI!, je veux m'abonner au journal LE QUÉBÉCOIS au prix de
20$ pour un an (cinq numéros) et contribuer à son rayonnement par
un don de _____$

Total de la commande : _____$

Nom : _____

Prénom : _____

Adresse : _____

_____

Ville : _____

Code postal : _____

Tél.: (   )_____Courriel : _____

Retournez votre chèque libellé au nom du Journal Le Québécois à
l'adresse suivante :

Journal LE QUÉBÉCOIS
4, 15e rue ouest
Sainte-Anne-des-Monts, Québec,
G4V 2R2

*Fondé en 2001, LE QUÉBÉCOIS est le premier journal consacré essentielle-
ment à la couverture de la question nationale et animé par une ligne éditoriale indépendantiste au Québec depuis les années 1970. LE QUÉBÉCOIS se veut un
outil destiné à donner enfin la parole à ceux qui feront bientôt en sorte que notre
rêve devienne réalité, ce rêve de l'avènement du pays du Québec.*

Allez aussi entendre la seule radio indépendantiste au Québec, **QUÉBEC -
RADIO***, sur le site internet du Québécois au : www.lequebecois.org
Paroles et musiques des gens d'ici!*